CHAN

EIL

DRÀGON

SAN

SGEUL SEO

LOU CARTER

DEBORAH ALLWRIGHT

Do Pete, Josh agus Fee.
Cò dha eile? - L.C.

Do Lola Carlotta - D.A.

Foillsichearan Bloomsbury, Lunnainn, Oxford, New Delhi agus Sydney.
A' chiad fhoillseachadh am Breatainn ann an 2017 le
Foillsichearan Bloomsbury Plc, 50 Ceàrnag Bedford, Lunnainn WC1B 3DP
www.bloomsbury.com

'S e BLOOMSBURY comharra-malairt Foillsichearan Bloomsbury Plc

© an teacsa Lou Carter 2017   © nan dealbhan Deborah Allwright 2017

Tha còraichean moralta an ùghdair is an dealbhadair air an dearbhadh.

A' chiad fhoillseachadh sa Ghàidhlig ann an 2018 le Acair
An Tosgan, Rathad Shìophoirt, Steòrnabhagh, Eilean Leòdhais HS1 2SD

info@acairbooks.com
www.acairbooks.com

© an teacsa Ghàidhlig Acair, 2018

An tionndadh Gàidhlig le Dolina NicLeòid
An dealbhachadh sa Ghàidhlig le Mairead Anna NicLeòid

Tha Acair a' faighinn taic bho Bhòrd na Gàidhlig.

Gheibhear clàr catalog CIP airson an leabhair seo ann an Leabharlann Bhreatainn.

Tha Foillsichearan Bloomsbury a cleachdadh pàipear nàdarrach a ghabhas
ath-chuairteachadh bho choilltean air an deagh stiùireadh. Tha na pròiseasan
dèanadais a coileanadh riaghailtean àrainneachd na dùthchà.

Clò-bhuailte ann an Sìona le Leo Paper Products, Heshan, Guangdong

3 5 7 9 10 8 6 4 2

LAGE/ISBN 978-1-78907-006-4

OSCR
Scottish Charity Regulator
www.oscr.org.uk
Registered Charity
SC047866

Riaghladair Carthannas na h-Alba

Carthannas Clàraichte/
Registered Charity SC047866

Chan eil
DRÀGON
San Sgeul Seo

Lou Carter   Deborah Allwright

Canaidh sinn gur e sgeul mu dhràgon a tha seo

BÙÙ-ISSS!

a ghoid air falbh bana-phrionnsa

GLÈIDH MI!

nuair . . .

SGREUCH!

. . . Cò thàinig air an rathad ach ridire calma

A thug buaidh air an dràgon

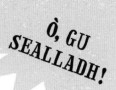

Agus a shaor a' bhana-phrionnsa.

A' chrìoch.

Ach, cha ghabh an sgeul sin innse
oir dh'fhalbh an Dràgon is car na chuinnean.

An-diugh, cha tèid mise an tòir air spideag
de bhana-phrionnsa.
Agus cha tèid mi shabaid ridire gleansach, gaisgeil.
Lorgaidh mi sgeul far am faod mise a bhith
nam CHURAIDH mar is còir!

An toiseach, cò chunnaic e ach bodach beag bonnaich.

Halò, nach tig mi nad sgeul?
Mo ghealladh gun glèidh mi
thu bhon t-sionnach bheag luath.

"Cha tig! cha tig! Chan e sin mar a tha,"
arsa Bodach Beag a' Bhonnaich.
"CHAN EIL DRÀGON san sgeul seo."

Às an sin, nach do dhìrich an dràgon suas cnoc far an do choinnich e muc a' togail taigh le biorain.

Halò, nach tig mi nad sgeul?
Mo ghealladh gun glèidh mi thu bhon Mhadadh Mhòr Ghlas!

"Cha tig, cha tig, chan e sin mar a tha," thuirt Muc Bheag a Dhà.
"CHAN EIL DRÀGON san sgeul."

CHA TIG!

Agus air Caileag Bheag a' Chòta Dheirg.

AN TAOBH-UD

Ach duine dhiubh sin cha ghabhadh
Dràgon nan sgeul.

Ach, stad ort mionaid, nach ann a chunnaic an Dràgon balach a' dìreadh crann-phònair.

Halò, Nach tig mi gad dhìon bhon Fhuamhaire mhòr?

"Cha tig! Cha tig!
Chan e sin mar a tha,"
arsa Seoc.
"CHAN EIL DRÀGON
san sgeul seo."

Ud, ud, ud, dè tha tachairt
ann an seo?

AITSIÙÙ

"DHRÀGOIN . . . càit a bheil thu?"
dh'èigh Bodach Beag a' Bhonnaich.
"'S e tha dhìth oirnn ach curaidh!"

Dè feum a nì mise
Chan e curaidh a
th' annam.

"Ach, san sgeul seo,
's ann air DRÀGON a bhios fèill!"
arsa Bodach Beag a' Bhonnaich.

Chan urrainn dhomh . . .

An dùil?

An dùil?!

'S ANN DHOMH
IS AITHNE!

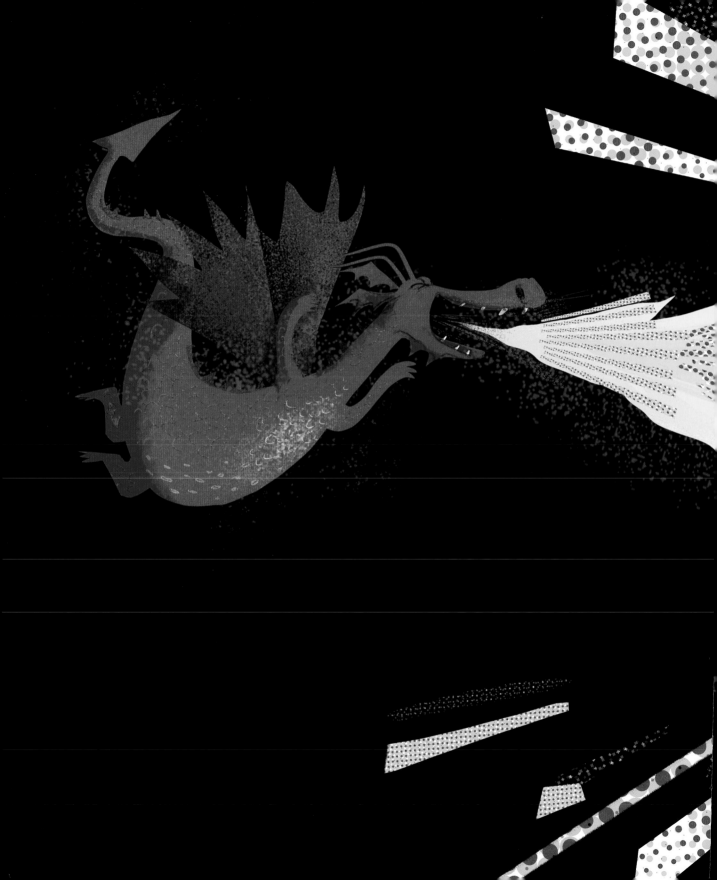

MO MHÌLE AGAD!

Nach bu mhi an curaidh!

MO BHEANNACHD AGAD!

Sin agaibh e ma-tà: sgeul mu dhràgon gaisgeil

BÙÙ-ISSS!

A thug sreothart air Fuamhaire

NA CAN RIUM!

agus siud a' ghrian a' dol às . . .

SGREUCH!

. . . Ach, cuiridh an Dràgon an solas air ais

TAING DO SHEALBH!

agus is   esan an CURAIDH!

AR GAISGEACH!

A' Chrìoch

Fuirich mionaid!
Càit a-nis an deach an Dràgon?

Trot

Trotan

Trot

Trotan

A' chrìoch da-rìribh.